MINHA NOITE NO SÉCULO VINTE

OBRAS DO AUTOR

O gigante enterrado
Não me abandone jamais
Noturnos
Quando éramos órfãos
Os vestígios do dia
Uma pálida visão dos montes
Um artista do mundo flutuante
O desconsolado

Kazuo Ishiguro

Minha noite no século vinte

e outros pequenos avanços

TRADUÇÃO
Antônio Xerxenesky

Prêmio Nobel
Companhia das Letras

Copyright © 2017 by The Nobel Foundation
Todos os direitos reservados.

Grafia atualizada segundo o Acordo Ortográfico da Língua Portuguesa de 1990, que entrou em vigor no Brasil em 2009.

Título original
My Twentieth Century Evening and Other Small Breakthroughs

Capa
Alceu Chiesorin Nunes e Claudia Espínola de Carvalho

Ilustração de capa
Marzolino/ Shutterstock

Preparação
Livia Deorsola

Revisão
Angela das Neves
Jane Pessoa

Dados Internacionais de Catalogação na Publicação (CIP)
(Câmara Brasileira do Livro, SP, Brasil)

Ishiguro, Kazuo
 Minha noite no século XX : e outros pequenos avanços / Kazuo Ishiguro ; tradução Antônio Xerxenesky. — 1ª ed. — São Paulo : Companhia das Letras, 2018.

 Título original: My Twentieth Century Evening and Other Small Breakthroughs
 ISBN 978-85-359-3090-0

 1. Discursos 2. Ficção inglesa — Escritores japoneses 3. Ishiguro, Kazuo, 1954- 4. Literatura — Prêmios Nobel 5. Romancistas ingleses — Biografia I. Título.

18-13132   CDD-823.91

Índice para catálogo sistemático:
1. Romancistas ingleses : Prêmio Nobel : Discursos : Literatura japonesa em inglês 823.91

[2018]
Todos os direitos desta edição reservados à
EDITORA SCHWARCZ S.A.
Rua Bandeira Paulista, 702, cj. 32
04532-002 — São Paulo — SP
Telefone: (11) 3707-3500
www.companhiadasletras.com.br
www.blogdacompanhia.com.br
facebook.com/companhiadasletras
instagram.com/companhiadasletras
twitter.com/cialetras

Minha noite
no século xx

Discurso do Nobel lido em Estocolmo no dia 7 de dezembro de 2017.

O prêmio Nobel de Literatura de 2017 foi entregue a Kazuo Ishiguro, "que, em seus romances de grande força emocional, revelou o abismo sob nossa sensação ilusória de conexão com o mundo".

Academia Sueca

S E VOCÊ SE DEPARASSE comigo no outono de 1979, teria, talvez, dificuldade para me situar em termos sociais ou até mesmo raciais. Eu estava, então, com 24 anos. Minhas características físicas eram as de um japonês, mas ao contrário da maioria dos homens japoneses vistos na Inglaterra daquela época, meu cabelo ia até os ombros e eu usava um bigode inclinado para baixo como o de um marginal. O único sotaque discernível na minha fala era o de alguém que cresceu na região sul da Inglaterra, às vezes com inflexões do vernáculo lânguido e já datado da era hippie. Se conversássemos, poderíamos discutir o Carrossel holandês do futebol ou o último disco de Bob Dylan, ou talvez o ano em que passei trabalhando com moradores de rua em Londres. Se você mencionasse o Japão, me perguntasse sobre a cultura de lá, poderia até detectar um traço de impaciência na minha fala ao me ouvir declarar minha ignorância, pelo fato de eu nunca mais ter pisado naquele país — nem para as festas de fim de ano — desde que saí de lá, com cinco anos.

Naquele outono, eu havia chegado com uma mochila, um violão e uma máquina de escrever portátil a Buxton, no condado de Norfolk — um pequeno vilarejo inglês com um velho moinho d'água e campos planos de fazendas por toda a parte. Fui para lá porque tinha sido aceito num curso de pós-graduação de um ano de escrita criativa na Universidade de East Anglia. A universidade ficava a dezesseis quilômetros de distância, na cidade de Norwich, mas eu não tinha carro, e o único meio de transporte que eu tinha seria pegar um ônibus que passava uma vez de manhã, outra na hora do almoço e outra à noite. Mas isso, logo descobri, não representava uma grande dificuldade: raramente tinha de ir à universidade mais do que duas vezes por semana. Alugara um quarto em uma pequena casa cujo proprietário era um homem na faixa dos trinta e cuja esposa o abandonara recentemente. Sem dúvida, para ele, a casa estava povoada de fantasmas dos seus sonhos frustrados — ou talvez ele apenas quisesse me evitar; de toda forma, ficava sem vê-lo por vários dias seguidos. Em outras palavras, após a vida frenética que levava em Londres, lá estava eu, diante de uma vasta quietude e solidão na qual poderia me transformar em um escritor.

Na verdade, meu pequeno quarto não era muito diferente do clássico sótão de escritores. O teto tinha uma inclinação claustrofóbica — ainda que, se eu ficasse na ponta dos pés, conseguiria ver, de uma das janelas, campos arados à distância. Havia uma pequena mesa, cuja superfície era ocupada quase por inteiro pela minha máquina de escrever e uma luminária. No chão, em vez de uma cama, havia um grande retângulo branco de espuma industrial que me fazia suar enquanto dormia, mesmo durante as noites amargamente frias de Norfolk.

Foi nesse quarto que examinei cuidadosamente os dois contos que havia escrito no verão, perguntando-me se eram bons o suficiente para mostrar aos meus colegas. (Éramos, que eu me lembre, uma turma de seis, e nos encontrávamos uma vez a cada duas semanas.) Naquele momento da minha vida, eu tinha escrito pouca coisa digna de nota em termos de ficção em prosa, tendo obtido minha vaga no curso graças a um roteiro para rádio rejeitado pela BBC. Na verdade, como eu tinha traçado planos sólidos de me tornar uma estrela de rock ao chegar aos vinte, só recentemente havia tomado consciência das minhas ambições literárias. Os dois contos que eu agora escrutinava haviam sido escritos sob uma espécie de pânico, como resposta à notícia de que fora aceito pela universidade. Um era sobre um pacto suicida macabro; o outro, sobre brigas de rua na Escócia, onde passei um tempo fazendo trabalho comunitário. Não eram muito bons. Comecei outro conto, sobre um adolescente que envenena o próprio gato, e que se passava, como os outros, na Grã-Bretanha daquela época. Então, certa noite, durante minha terceira ou quarta semana naquele pequeno quarto, eu me vi escrevendo, com uma nova e urgente força, sobre o Japão — sobre Nagasaki, a cidade onde nasci, durante os últimos dias da Segunda Guerra Mundial.

Isso, devo deixar claro, foi uma surpresa para mim. Na atmosfera que prevalece nos dias de hoje, é quase instintivo que um jovem aspirante a escritor com uma ascendência cultural mista explore as suas "raízes" na sua obra. Mas estava longe de ser o caso naquela época. Ainda estávamos a alguns anos de distância da explosão da literatura "multicultural" na Grã-Bretanha. Salman Rushdie era um desconhecido com um só romance esgotado de sua autoria. Se pedissem para dizer quem eram os principais jovens romancistas britânicos da época, as pessoas talvez mencionassem Margaret Drabble; dos escritores mais velhos, Iris Murdoch, Kingsley Amis, William Golding, Anthony Burgess, John Fowles. Estrangeiros como Gabriel García Márquez, Milan Kundera ou Borges eram lidos apenas por poucos, os seus nomes não diziam nada nem para leitores dedicados.

Tal era o clima literário da época em que terminei aquele primeiro conto japonês, e por mais que estivesse com a sensação de ter descoberto um novo e importante rumo, comecei logo a me questionar se esse desvio não seria visto como comodismo; se eu não deveria rapidamente retornar a um assunto mais "normal". Foi só depois de hesitar por um tempo considerável que comecei a mostrar o conto para as pessoas, e até hoje sou profundamente grato aos meus colegas e aos meus professores Malcolm Bradbury e Angela Carter, e ao romancista Paul Bailey — o escritor residente daquele ano —, pelo apoio encorajador e determinante que me deram. Se a recepção tivesse sido menos positiva, talvez eu nunca mais teria escrito sobre o Japão. Mas, sendo assim, voltei para o meu quarto e escrevi, escrevi. Ao longo do inverno de 1979-80, e até a primavera, não falei com quase ninguém além dos outros cinco alunos da minha sala, do vendedor da mercearia onde eu comprava cereais para o café da manhã e rins de cordeiro que me mantinham, e da minha namorada, Lorna (hoje minha esposa), que me visitava a cada dois finais de semana. Não era uma vida equilibrada, mas nesses quatro ou cinco meses consegui completar metade do meu primeiro romance, *Uma pálida visão dos montes* — que também se passa em Nagasaki, nos anos de recuperação após a bomba atômica. Consigo me lembrar, ocasionalmente, de, durante esse período, experimentar algumas ideias para contos que não se passavam no Japão, mas o meu interesse minguava depressa.

Esses meses foram cruciais para mim, pois sem eles provavelmente nunca teria me tornado um escritor. Desde então, com frequência olhava para trás e me perguntava: O que estava acontecendo comigo? Que energia tão peculiar era aquela? Minha conclusão foi que só a partir daquele momento de minha vida eu me envolvi em um ato urgente de preservação. Para explicar isso, precisarei retroceder um pouco.

VIM PARA A INGLATERRA aos cinco anos com meus pais e com a minha irmã, em abril de 1960, para a cidade de Guildford, condado de Surrey, no efervescente "cinturão dos corretores da bolsa", 48 quilômetros ao sul de Londres. Meu pai era um cientista pesquisador, um oceanógrafo que veio trabalhar para o governo britânico. A máquina que ele acabou inventando, por acaso, hoje faz parte da coleção permanente do Museu de Ciências de Londres.

As fotos tiradas logo após a nossa chegada mostram uma Inglaterra de uma época que não existe mais. Homens vestiam pulôveres de lã de gola V com gravatas, carros ainda tinham estribos e um volante sobressalente no porta-malas. Os Beatles, a revolução sexual, os protestos estudantis, o "multiculturalismo", tudo isso estava prestes a acontecer, mas é difícil acreditar que a Inglaterra encontrada pela nossa família ao chegar nem sequer suspeitasse disso. Conhecer um estrangeiro da França ou da Itália já era bem impressionante — imagine um do Japão.

Nossa família morava em uma rua sem saída de doze casas, justo onde terminavam as estradas asfaltadas e começava o campo. Era uma caminhada de menos de cinco minutos até a fazenda local, e ficava logo abaixo da trilha onde fileiras de vacas andavam para a frente e para trás entre os campos. O leite era distribuído em carroças. Uma imagem comum da qual me lembro dos meus primeiros dias na Inglaterra era a de porcos-espinhos — as criaturas bonitinhas, noturnas, cheias de espetos, numerosas naquele país — esmagados por pneus durante a noite, abandonados ao orvalho matinal, enrodilhados organizadamente ao lado da estrada, esperando ser coletados pelos garis.

Todos os nossos vizinhos iam à igreja, e quando eu brincava com os filhos deles, notava que diziam uma prece antes de comer. Frequentava a escola dominical, e logo comecei a cantar no coro da igreja, tornando-me, aos dez anos, o primeiro chefe do coro japonês visto em Guildford. Na escola primária a que ia, eu era a única criança não inglesa, talvez provavelmente a única em toda a história da escola, e a partir dos meus onze anos, viajava de trem para o liceu na cidade vizinha, compartilhando o vagão, todas as manhãs, com homens de ternos risca de giz e chapéus-coco a caminho dos escritórios em Londres.

Nessa fase, já tinha sido completamente treinado para me comportar da maneira como se esperava que um garoto de classe média inglês daquela época se comportasse. Quando visitava a casa de um amigo, sabia que deveria ficar atento no mesmo instante em que um adulto entrasse na sala; aprendi que, durante uma refeição, tinha de pedir permissão antes de sair da mesa. Sendo o único menino estrangeiro do bairro, uma espécie de fama local me acompanhava. Outras crianças sabiam quem eu era antes de eu conhecê-las. Adultos que eram completos estranhos às vezes me chamavam pelo nome na rua ou no comércio local.

Quando me lembro desse período, e recordo que isso foi menos de vinte anos depois do fim da Guerra Mundial na qual os japoneses tinham sido seus ferrenhos inimigos, fico surpreso com a generosidade e a receptividade que a nossa família teve nessa trivial comunidade inglesa. O afeto, o respeito e a curiosidade que guardo até hoje por essa geração de britânicos que passaram pela Segunda Guerra Mundial e construíram um impressionante

Estado de bem-estar social no pós-guerra vêm da minha experiência pessoal desses anos.

Mas, durante todo esse tempo, eu vivia uma outra vida em casa, com meus pais japoneses. Em casa, as regras eram outras, as expectativas eram outras e a língua também era outra. A intenção original de meus pais era retornar ao Japão depois de um ou dois anos. Na verdade, nos nossos primeiros onze anos na Inglaterra, vivemos num perpétuo estado de "voltar no ano seguinte". Por causa disso, a perspectiva de meus pais se manteve como a de visitantes, não de imigrantes. Eles com frequência trocavam observações sobre os costumes curiosos dos nativos sem sentir nenhuma obrigação de adotá-los. E por um longo tempo permaneceu a ideia de que eu voltaria para viver minha vida adulta no Japão, e meus pais se esforçaram bastante para que eu mantivesse um lado japonês na minha educação. A cada mês, chegava um pacote do Japão, contendo quadrinhos do mês anterior, revistas e materiais educacionais, que eu devorava ansiosamente. Esses pacotes pararam de chegar em algum momento da minha adolescência — talvez depois da morte do meu avô —, mas ouvir meus pais falarem de velhos amigos, parentes e de episódios das suas vidas no Japão manteve, para mim, um fluxo constante de imagens e impressões. E na época eu sempre tinha as minhas próprias memórias — surpreendentemente vastas e claras: meus avós, meus brinquedos favoritos que eu deixara para trás, a casa japonesa tradicional na qual morávamos (que até hoje sou capaz de reconstruir na minha mente, cômodo a cômodo), meu jardim de infância, a parada local do bonde, o cão raivoso que morava perto da ponte, a cadeira do barbeiro adaptada especialmente para meninos pequenos, com um volante de carro fixado em frente ao grande espelho.

Tudo isso me levou a construir — enquanto eu crescia, muito antes de pensar em criar mundos ficcionais em prosa — um lugar rico em detalhes chamado "Japão", um lugar ao qual eu, de certo modo, pertencia, e de onde extraía uma certa compreensão de minha identidade e segurança. O fato de nunca mais ter voltado fisicamente ao Japão durante esse período só serviu para tornar a minha visão do país mais vívida e pessoal.

Daí vinha a necessidade de preservação. Pois quando atingi os vinte e poucos anos — embora nunca tenha articulado isso claramente na época —, começava a perceber certas coisas fundamentais. Passava a aceitar que o "meu" Japão talvez não correspondesse muito a qualquer lugar que eu pudesse visitar de avião; que o modo de vida do qual meus pais falavam, e de que eu me lembrava da minha infância, tinha em boa parte desaparecido durante os anos 1960 e 1970; e que, em todo caso, o Japão que existia na minha cabeça fora um constructo emocional montado por uma criança a partir da memória, da imaginação e da especulação. E, talvez, mais significante ainda, fosse o fato de perceber que, a cada ano que se passava, esse meu Japão — esse lugar precioso com o qual cresci — ficava cada vez mais fraco.

Não tenho certeza se foi esse sentimento, de que o "meu" Japão era único e, ao mesmo tempo, terrivelmente frágil — algo que não podia ser confirmado por alguém de fora — que me levou a trabalhar naquele pequeno quartinho em Norfolk. O que eu estava fazendo era colocar no papel as cores especiais daquele mundo, seus costumes e etiquetas; sua dignidade, suas limitações, tudo o que já tinha pensado sobre o local, antes de desaparecer da minha memória. O meu desejo era o de reconstruir o meu Japão na ficção, torná-lo seguro, para que eu pudesse, depois, apontar para um livro e dizer: "Sim, lá está o meu Japão, ali dentro".

PRIMAVERA DE 1983, TRÊS anos e meio depois. Lorna e eu estamos agora em Londres, hospedados em dois quartos no topo de uma casa alta e estreita, que por sua vez ficava sobre um morro de um dos pontos mais elevados da cidade. Havia uma antena de televisão próxima, e quando tentávamos escutar discos na nossa vitrola, vozes fantasmagóricas invadiam de forma intermitente nossas caixas de som. Nossa sala não tinha sofá ou poltrona, mas sim dois colchões no chão cobertos com almofadas. Também havia uma grande mesa na qual eu escrevia durante o dia, e onde jantávamos à noite. Não era luxuoso, mas gostávamos de morar ali. Eu tinha publicado meu primeiro romance no ano anterior, e também escrevera um roteiro para um curta que logo seria exibido na televisão britânica.

Por um período, sentira-me razoavelmente orgulhoso do meu primeiro romance, mas quando chegou aquela primavera, uma sensação incômoda de insatisfação se instalara em mim. Este era o problema: meu primeiro romance e meu primeiro roteiro televisivo eram muito similares. Não em termos de assunto, mas de método e estilo. Quanto mais olhava para o meu romance, mais o achava parecido com um roteiro — diálogo e instruções. Isso era aceitável até certo ponto, mas o meu desejo agora era de escrever uma ficção que funcionasse direito *somente na página*.

Por que escrever um romance se ele fosse oferecer mais ou menos a mesma experiência que alguém poderia ter ao ligar a televisão? Como a ficção escrita poderia ter chances de sobreviver diante do poder do cinema e da televisão se não oferecesse algo único, algo que as outras formas não eram capazes de realizar?

Por volta desse período, peguei uma virose e passei uns dias na cama. Quando fiquei um pouco melhor e já não queria mais ficar dormindo o tempo inteiro, descobri que aquele objeto pesado, cuja presença entre os lençóis tinha me incomodado algumas vezes, era, na verdade, um exemplar do primeiro volume de *Em busca do tempo perdido*, de Marcel Proust. Estava ali, então comecei a lê-lo. Minha condição ainda febril talvez tenha sido um fator importante, mas o fato é que fiquei totalmente fascinado pelas seções de Abertura e de Combray. Eu as lia e relia. Além da pura beleza desses trechos, fiquei entusiasmado com a maneira como Proust fazia um episódio se encaixar no outro. A ordem dos acontecimentos e das cenas não seguia as exigências comuns de cronologia, nem de uma trama linear. Em vez disso, associações tangenciais de pensamento, ou as vaguezas da memória, pareciam conduzir a escrita de um episódio a outro. Às vezes eu me pego questionando: por que esses dois momentos aparentemente não relacionados foram colocados lado a lado pela mente do narrador? De repente pude ver uma maneira mais entusiasmante e livre de compor meu segundo romance; um que pudesse ter uma grande riqueza na própria página e fosse capaz de oferecer movimentos internos impossíveis de serem capturados por qualquer tela. Se eu pudesse ir de um trecho a outro conforme as associações de pensamentos do narrador e suas memórias vagantes, seria capaz de compor um livro da mesma maneira que um pintor abstrato escolhe posicionar formas e cores em uma tela. Poderia encaixar uma cena de dois dias atrás logo ao lado de uma que ocorreu vinte anos antes, e pedir ao leitor que ponderasse sobre a relação entre as duas. De tal maneira, comecei a pensar, talvez eu mostrasse muitas das camadas de autoengano e negação que obscureciam a visão que qualquer pessoa tem de si mesmo e de seu passado.

MARÇO DE 1988. Eu tinha 33 anos. Agora tínhamos um sofá e eu estava espraiado nele, ouvindo um disco de Tom Waits. No ano anterior, Lorna e eu havíamos comprado nossa própria casa em uma região do sul de Londres que não estava na moda, mas era agradável, e nessa casa, pela primeira vez, eu tinha meu próprio escritório. Era pequeno e sem porta, mas eu estava empolgado por poder espalhar meus papéis e não precisar guardá-los ao final de cada dia. E, naquele escritório — ou assim eu pensava —, tinha acabado de terminar meu terceiro romance. Era meu primeiro que não se passava no Japão — meu Japão pessoal, que havia se tornado menos frágil através da escrita dos meus romances anteriores. Na verdade, esse meu novo livro, que se chamaria *Os vestígios do dia*, parecia inglês ao extremo — embora não fosse, assim eu esperava, da mesma maneira que eram muitos dos autores britânicos da geração passada. Fui cuidadoso em não pressupor, como sentia que muitos faziam, que todos os meus leitores seriam ingleses, com uma familiaridade nativa às nuances e preocupações inglesas. Naquela época, escritores como Salman Rushdie e V. S. Naipaul haviam aberto caminho para uma literatura britânica mais internacional, mais capaz de olhar para fora, uma literatura que não afirmava nenhuma centralidade ou importância automática da Grã-Bretanha. A escrita deles era pós-colonial, no sentido mais amplo possível. Eu queria, como eles, escrever ficção "internacional" que pudesse cruzar facilmente as barreiras culturais e linguísticas, até mesmo escrevendo uma história que se passava num mundo peculiarmente inglês. Minha versão da Inglaterra seria uma espécie de Inglaterra mítica, cujos contornos, eu pensava, já estavam presentes na imaginação de muita gente ao redor do mundo, inclusive daqueles que nunca visitaram o país.

A HISTÓRIA QUE TINHA acabado de escrever era sobre um mordomo inglês que percebia tarde demais que vivera seguindo os valores errados, e que perdeu seus melhores anos servindo um simpatizante nazista; que, por não ter tomado responsabilidade moral e política, ele, de uma maneira muito profunda, tinha desperdiçado sua vida. E mais: que na sua busca por ser o criado perfeito, não havia se permitido amar ou ser amado pela única mulher com a qual ele se importava.

Eu li várias vezes o manuscrito e ficara razoavelmente satisfeito. Ainda assim, tinha uma sensação incômoda de que algo estava faltando.

Então, como eu disse, lá estava eu, na nossa casa certa noite, no sofá, ouvindo Tom Waits. E Tom Waits começou a cantar uma música chamada "Ruby's Arms". Talvez alguns de vocês a conheça. (Até pensei em cantar para vocês, mas mudei de ideia.) É uma balada sobre um homem, possivelmente um soldado, que deixa sua amante dormindo na cama. É de manhã cedo, ele caminha pela estrada, embarca num trem. Nada de estranho nisso. Mas a música é cantada com a voz parecendo a de um mendigo americano rude, totalmente desacostumado a revelar suas emoções mais profundas. E então tem uma parte, no meio da música, que o cantor nos fala que seu coração está partido. Esse trecho é quase insuportável de tão comovente por causa da tensão entre o sentimento em si e a grande resistência, claramente superada, em revelá-lo. Tom Waits canta esse verso com uma magnificência catártica, e você sente uma vida inteira de estoicismo de um homem durão ruindo diante de uma tristeza opressiva.

Enquanto escutava Tom Waits, percebi o

que ainda me restava fazer. Sem pensar, tomei a decisão, em algum momento muito lá atrás, que o meu mordomo inglês manteria suas defesas emocionais, que ele conseguiria se esconder por trás delas, até o fim. Agora percebia que teria de reverter essa decisão. Só por um instante, perto do final da minha história, num momento que deveria escolher cuidadosamente, tinha de fazer a sua armadura rachar. Precisava permitir que, debaixo dela, um desejo vasto e trágico fosse vislumbrado.

Devo dizer que aprendi, em várias ocasiões, lições cruciais das vozes de cantores. Estou falando aqui menos das letras do que da cantoria em si. Como sabemos, a voz humana é capaz de expressar uma mescla de sentimentos complexa e insondável. Ao longo dos anos, aspectos específicos da minha escrita foram influenciados por, entre outros, Bob Dylan, Nina Simone, Emmylou Harris, Ray Charles, Bruce Springsteen, Gillian Welch e meu amigo e colaborador Stacey Kent. Ao captar algo nas vozes deles, dizia a mim mesmo: "Ah, sim, é isso. Isso é o que preciso capturar naquela cena. Algo muito próximo disso". Às vezes é uma emoção que não consigo colocar bem em palavras, mas lá está ela, na voz do cantor, e então passo a ter um objetivo a atingir.

EM OUTUBRO DE 1999, fui convidado pelo poeta alemão Christoph Heubner em nome do Comitê Internacional de Auschwitz para passar alguns dias visitando o antigo campo de concentração. Fiquei hospedado no Centro de Encontro da Juventude de Auschwitz, na estrada entre o primeiro campo de Auschwitz e a três quilômetros do campo de extermínio de Birkenau. Fui conduzido por esses locais e conheci, informalmente, três sobreviventes. Senti que tinha me aproximado, pelo menos geograficamente, do coração da força obscura que lançava uma sombra sob a qual a minha geração crescera. Em Birkenau, numa tarde úmida, fiquei entre os detritos remanescentes das câmaras de gás — agora negligenciadas e descuidadas de forma inexplicável —, deixadas quase da mesma maneira como os alemães as deixaram depois de explodi-las, antes de fugir do Exército Vermelho. Agora eram apenas lajes úmidas e quebradas, expostas ao árduo clima polonês, deteriorando ano a ano. Meus anfitriões falaram sobre o dilema deles. Esses restos deveriam ser protegidos? Deveriam construir domos de acrílico para protegê-los, para preservá-

-los para os olhos das próximas gerações? Ou deveriam permitir, lenta e naturalmente, que isso apodrecesse até não sobrar nada? Parecia, para mim, uma metáfora poderosa para um dilema maior. Como tais memórias deveriam ser preservadas? Os domos de vidro transformariam essas relíquias do mal e do sofrimento em tranquilas exposições de museu? O que deveríamos escolher lembrar? Quando é melhor esquecer e seguir adiante?

Eu tinha 44 anos. Até então, pensava que a Segunda Guerra Mundial, com seus horrores e seus triunfos, era algo pertencente à geração de meus pais. Mas agora me ocorria que, em breve, muitos dos que haviam testemunhado esses grandes eventos em primeira mão não estariam mais vivos. E então? O fardo da lembrança recairia sobre a minha própria geração? Não tínhamos vivido anos de guerra, mas pelo menos fomos criados por pais cujas vidas tinham sido indelevelmente moldadas pela guerra. Teria eu, agora, como um contador público de histórias, um dever de que até então não estava ciente? Um dever de passar adiante, da melhor forma possível, as memórias e os aprendizados da geração de nossos pais para a geração seguinte?

Pouco tempo depois, eu estava dando uma palestra em Tóquio e uma pessoa do auditório perguntou, como é de costume, no que eu viria a trabalhar a seguir. Mais especificamente, a pessoa apontou que meus livros com frequência eram sobre indivíduos que viveram períodos de grande agitação social e política, e ao olhar para o seu passado tinham dificuldades em aceitar suas lembranças mais sombrias e vergonhosas. Os meus próximos livros, ela perguntou, continuariam dando conta de um terreno similar?

Acabei dando uma resposta um tanto despreparada. Sim, respondi, escrevi com frequência sobre tais indivíduos na luta entre o esquecimento e a memória. Mas, no futuro, o que realmente queria fazer era escrever uma história sobre como uma nação ou uma comunidade enfrentava as mesmas questões. Uma nação se lembra ou se esquece da mesma maneira que um indivíduo? Ou há diferenças importantes? O que, exatamente, são as memórias de uma nação? Onde são guardadas? Como são moldadas e controladas? Há vezes em que esquecer é o único jeito de interromper ciclos de violência, ou de impedir uma sociedade de se desintegrar em caos e guerra? Por outro lado, poderiam nações estáveis e livres serem realmente erguidas sob pilares de amnésia proposital e justiça frustrada? Escutei-me falando à pessoa na plateia que eu queria descobrir uma maneira de escrever sobre essas coisas, mas que, no momento, infelizmente, não sabia como fazer isso.

CERTA NOITE, NO INÍCIO de 2001, no escuro da sala de estar de nossa casa no norte de Londres (onde morávamos, na época), Lorna e eu começamos a assistir, em um videocassete de qualidade razoável, a um filme de 1934 de Howard Hawks chamado *Suprema conquista*. O título do filme,* logo descobrimos, não se referia ao século que tínhamos acabado de deixar, mas a um famoso trem de luxo da época que conectava Nova York a Chicago. Como alguns de vocês devem saber, o filme é uma comédia veloz, que se passa boa parte em um trem, a respeito de

---

* O título original do filme é *Twentieth Century* [Século XX]. (N. E.)

um produtor da Broadway que, num desespero cada vez maior, tenta impedir que sua atriz principal vá para Hollywood e se torne uma estrela do cinema. O filme gira em torno de uma incrível performance cômica de John Barrymore, um dos grandes atores da sua época. Suas expressões faciais, seus gestos, quase toda a frase que ele diz sai com camadas de ironia, contradições, o lado grotesco de um homem afogado em seu egocentrismo e na sua própria teatralidade. É, em muitos sentidos, uma performance brilhante. E, no entanto, ao longo do filme, eu me encontrava curiosamente distanciado. Isso me deixou intrigado. Costumava gostar de Barrymore, e era um grande entusiasta de outros filmes de Howard Hawks desse período — tais como *Jejum de amor* e *O paraíso infernal*. Daí, por volta de uma hora de filme, tive uma ideia simples e surpreendente. O motivo pelo qual muitos personagens vívidos e indiscutivelmente convincentes em romances, filmes e peças não me emocionavam era porque esses personagens não se envolviam com nenhum outro em uma relação humana interessante. E, imediatamente, veio um pensamento acerca do meu próprio trabalho: e se eu parasse de me importar com meus personagens e me preocupasse, em vez disso, com os relacionamentos?

Enquanto o trem avançava para o oeste e John Barrymore ficava cada vez mais histérico, pensei na famosa distinção feita por E. M. Forster entre personagens tridimensionais e bidimensionais. Um personagem se tornava tridimensional em uma história, ele dizia, graças ao fato de que ele "nos surpreende de forma convincente". Ao fazer isso, tornava-se "redondo". Mas e se, eu me perguntava, um personagem fosse tridimensional, mas todos os seus relacionamentos não fossem? Em algum outro ponto dessa mesma série de palestras, Forster usou uma imagem engraçada, a de extrair o enredo de um romance com um par de fórceps e levá--lo à luz, como um verme se remexendo, para ser cuidadosamente examinado. Será que eu não poderia realizar um exercício similar e lançar uma luz sobre os vários relacionamentos que atravessam qualquer história? Seria capaz de fazer isso com meu próprio trabalho — em narrativas que eu já havia encerrado e em outras que estava planejando? Poderia observar, por exemplo, um relacionamento entre mentor e pupilo. Isso diz algo de perspicaz e inovador? Ou, agora que eu o observava, notava que ele se tornava um estereótipo cansado, idêntico àqueles encontrados em centenas de narrativas medíocres? Ou um relacionamento entre dois amigos que competem entre si: é dinâmico? Tem ressonância emocional? É envolvente? Capaz de surpreender de forma convincente? É tridimensional? De repente, senti que compreendia melhor por que, no passado, vários aspectos da minha obra fracassaram, apesar de eu ter aplicado medidas desesperadas para saná-los. Veio-me o pensamento — enquanto continuava observando John Barrymore — de que todas as boas histórias, não interessa quão radical ou conservadora é a maneira de contá-la, tinham de conter relações que são importantes para nós; que nos comovem, nos divertem, nos irritam, nos surpreendem. Talvez, no futuro, se cuidasse mais dos relacionamentos, meus personagens iam conseguir tomar conta deles próprios.

Penso que, ao dizer isso, talvez esteja afirmando algo que sempre foi óbvio para vocês.

Mas tudo o que posso dizer é que isso foi uma ideia que tive surpreendentemente tarde na minha vida de escritor, e vejo-a como uma reviravolta, comparável a outras que descrevi a vocês hoje. Daí em diante, comecei a construir minhas narrativas de um modo diferente. Quando estava escrevendo *Não me abandone jamais*, por exemplo, comecei, desde o início, a pensar no triângulo de relacionamentos central, e a partir daí nos outros relacionamentos que dele derivavam.

REVIRAVOLTAS IMPORTANTES numa carreira de escritor — talvez em muitos tipos de carreira — são assim. Muitas vezes são momentos pequenos, desajeitados. São centelhas silenciosas e particulares de revelação. Não brotam com frequência, mas quando surgem, podem muito bem aparecer sem alarde, sem o apoio de mentores ou colegas. Muitas vezes precisam competir com demandas mais ruidosas, aparentemente mais urgentes. Às vezes, o que revelam vai contra o conhecimento prevalecente. Mas, quando surgem, é importante estar apto a reconhecê-las pelo que são. Ou escorregarão das suas mãos.

Enfatizei aqui o pequeno e o privado, porque é essencialmente isso de que se trata o meu trabalho. Uma pessoa escrevendo em um quarto silencioso, tentando se conectar com outra pessoa que lê em outro quarto silencioso — ou não tão silencioso assim. Histórias podem entreter, às vezes podem ensinar ou defender um argumento. Mas, para mim, o essencial é que comuniquem sentimentos. Que apelem ao que compartilhamos como seres humanos, atravessando divisões e fronteiras. Existem indústrias grandes e glamorosas construídas ao redor de narrativas; a indústria do livro, a indústria do cinema, a indústria da televisão, a indústria do teatro. Mas, ao final, as narrativas são sobre uma pessoa dizendo para a outra: é assim que eu sinto. Você entende o que eu estou dizendo? Também sente assim?

ENTÃO CHEGAMOS AO PRESENTE. Descobri, recentemente, que vinha vivendo havia alguns anos dentro de uma bolha. Que não tinha percebido a frustração e as ansiedades de muitas pessoas ao meu redor. Vi que o meu mundo — um lugar civilizado e estimulante, cheio de pessoas irônicas e liberais — era, na verdade, muito menor do que eu imaginara. Dois mil e dezesseis, um ano de surpreendentes — e, para mim, deprimentes

— acontecimentos políticos na Europa e nos Estados Unidos, e de atos doentios de terrorismo ao redor do globo, me forçou a reconhecer que o irrefreável avanço de valores liberais e humanistas que eu tinha certeza que ocorria desde a minha infância pode não ter passado de uma ilusão.

Sou parte de uma geração que tende ao otimismo, e por que não? Assistimos à geração anterior transformar a Europa, com sucesso, de um lugar repleto de regimes totalitários, de genocídio e de uma carnificina historicamente sem precedentes, em uma região muito invejada, formada por democracias liberais que viviam em uma amizade quase sem fronteiras. Assistimos aos antigos impérios coloniais se desfazerem ao redor do mundo todo, junto com os questionáveis conceitos que os sustentavam. Acompanhamos um progresso significativo no feminismo, nos direitos dos homossexuais e nas batalhas em vários fronts contra o racismo. Crescemos em um cenário de grande embate — ideológico e militar — entre o capitalismo e o comunismo, e testemunhamos o que muitos de nós pensávamos ser uma conclusão feliz.

Mas agora, olhando em retrospecto, a era desde a queda do Muro de Berlim parece uma época de complacência, de oportunidades perdidas. Desigualdades imensas — de riqueza e de oportunidade — puderam vicejar, entre nações e dentro delas. Em específico, a invasão desastrosa do Iraque em 2003, e os longos anos de políticas de austeridade impostas a pessoas comuns que, depois da escandalosa crise econômica de 2008, nos levaram a um presente no qual proliferam ideologias de extrema direita e nacionalismos tribais. O racismo, nas suas formas tradicionais e nas versões modernizadas e com um marketing melhor, está em ascensão mais uma vez, efervescendo sob nossas ruas civilizadas como se fosse o despertar de um monstro que estava enterrado. Neste instante, parece que não temos nenhuma causa progressiva capaz de nos unir. Ao invés disso, até mesmo em democracias ricas do Ocidente, estamos nos fragmentando em campos rivais que competem amargamente por recursos ou poder.

E logo à esquina — ou será que já viramos a esquina? — jaz o desafio imposto por impressionantes revoluções na ciência, na tecnologia e na medicina. Novas tecnologias genéticas — como a técnica de edição de genes CRISPR — e avanços em Inteligência Artificial e robótica nos trarão benefícios incríveis, que salvarão muitas vidas, mas também podem originar meritocracias selvagens que lembram o apartheid, e desemprego em massa, inclusive daqueles que atualmente estão na elite profissional.

Então cá estou eu, um homem na faixa dos sessenta, esfregando os olhos e tentando discernir os contornos no nevoeiro deste mundo que até ontem não suspeitava que existia. Poderia eu, um autor cansado, de uma geração intelectualmente cansada, encontrar a energia para enxergar esse lugar desconhecido? Restaria algo em mim capaz de ajudar a dar uma perspectiva, a adicionar camadas emocionais às discussões, lutas e guerras que virão, ao passo que as sociedades sofrem para se ajustar a essas enormes mudanças?

Tenho de continuar e fazer o melhor que posso. Porque ainda acredito que a literatura é importante, e que será especialmente importante enquanto estivermos atravessando este terreno tão difícil. Mas estarei de olho nos escritores das novas gerações para nos inspirar e nos conduzir. Esta é a era deles, e eles terão o conhecimento e o instinto que me faltam. No mundo dos livros, do cinema, da TV e do teatro, vejo hoje talentos aventureiros e empolgantes: mulheres e homens na faixa dos quarenta, trinta e vinte anos. Então sou otimista. Por que não seria?

Mas deixem-me terminar fazendo um pedido — meu pedido do Nobel, se quiserem assim chamar! É difícil corrigir o mundo, mas vamos ao menos pensar como podemos preparar nosso pequeno cantinho, o canto da "literatura", onde lemos, escrevemos, publicamos, recomendamos, denunciamos e premiamos livros. Se temos um papel a exercer neste futuro incerto, se quisermos receber o melhor dos escritores de hoje e de amanhã, acredito que precisamos nos diversificar. Estou falando disso em dois sentidos.

Em primeiro lugar, precisamos alargar nosso mundo literário comum para incluir muitas outras vozes que surgem de fora da nossa zona de conforto da elite cultural de Primeiro Mundo. Temos que tentar, de forma mais enérgica, descobrir as pérolas do que restam das culturas literárias ainda desconhecidas, não interessa se os escritores vivem em países muito distantes ou dentro das nossas próprias comunidades. Em segundo lugar, temos que tomar um grande cuidado para não estabelecer de forma tão estreita ou conservadora as nossas definições do que constitui a boa literatura. A próxima geração virá com toda espécie de novas maneiras, às vezes desconcertantes, de contar histórias importantes e maravilhosas. Precisamos manter a mente aberta, especialmente no que diz respeito a gênero e forma, para que possamos valorizar e celebrar as melhores narrativas. Em uma época cuja polarização está aumentando perigosamente, precisamos escutar. A boa escrita e a boa leitura romperão barreiras. Talvez precisemos até mesmo encontrar uma nova ideia, uma grande visão humana que possamos defender.

À Academia Sueca, à Fundação Nobel e às pessoas da Suécia que, ao longo dos anos, tornaram o prêmio Nobel um símbolo brilhante do bem ao qual nós, seres humanos, almejamos — eu agradeço muito.

SOBRE O AUTOR

Kazuo Ishiguro nasceu em Nagasaki, Japão, em 1954, e mudou-se para a Inglaterra aos cinco anos. As suas oito obras de ficção lhe renderam muitos prêmios e honrarias ao redor do mundo, incluindo o prêmio Nobel de literatura e o Booker Prize. Foi traduzido para mais de cinquenta línguas. *Os vestígios do dia* e *Não me abandone jamais* foram adaptados para o cinema, transformando-se em filmes aclamados pela crítica. Ishiguro também escreve roteiros e letras de música. Mora em Londres com a esposa e com a filha.